MAXIMÔME

Les chevaliers de la rue
Le *Ménestrel*

écrit par Jean Martinez
illustré par Christophe Durual

épigones

I

Le vol du trésor

Quand Cyril fit passer une petite annonce dans le journal local pour trouver une nouvelle baraque, Hassein et Fred se demandèrent s'il n'était pas tombé sur la tête. Mais à leur grande surprise, ils reçurent plusieurs réponses, dont une sérieuse. Et maintenant, ça y était : ils avaient trouvé leur château en ville.

Ils profitèrent des vacances scolaires pour déménager. De bon matin, ils attelèrent une carriole au vélo de Cyril et y chargèrent une grande malle couverte de leur étendard.

Dedans, il y avait leur trésor, toute une quincaillerie rapportée de leurs Croisades... mais surtout, le Livre des Chevaliers, avec ses secrets dévoilés.

Épée et bâton aux côtés, Hassein et Fred escortaient le chariot conduit par Cyril.

C'est alors que leur parvint, sur les accords d'une musique ancienne, un chant étrange.

> *Trois jeunes chevaliers*
> *Qui rêvaient de victoires*
> *Sans lances ni écuyers*
> *S'en allaient vers la gloire...*

– Ça alors ! s'exclama Hassein. On dirait que cette chanson parle de nous !

Très intrigués, ils garèrent leurs vélos sous le porche d'un vieil immeuble et découvrirent, planté au milieu de la cour, un musicien des rues déguisé en baladin du Moyen Âge, qui chantait en s'accompagnant d'un instrument ancien.

– C'est un luth, murmura Hassein qui s'y connaissait.

Subjugués, les trois chevaliers en oublièrent leur mission.

Mais le charme fut soudain rompu par l'irruption du concierge, un gros rougeaud furax qui brandissait un balai.

– Maudit saltimbanque ! rugissait-il, menaçant. Y en a marre de te voir rôder dans le coin !

Le musicien l'envoya balader. Pour toute réponse, il se prit un coup de balai sur l'échine, et dans la foulée le concierge lui arracha son luth.

– À moi, compagnons ! s'exclama Hassein en dégainant son épée de bois. Cyril, allons prêter main-forte à ce troubadour ! Toi, Fred, tu restes là pour garder la malle.

– Pourquoi c'est toujours moi ? se récria Fred.

Mais ses camarades ne l'écoutèrent pas. Ils se portèrent sans hésiter au secours du musicien.

– Fichez le camp, sales moineaux des rues ! hurla le concierge coléreux.

– Rends-lui son instrument, grosse barrique à poils ! menaça Cyril en brandissant son épée.

Surpris, Hassein se demanda si son ami ne confondait pas bravoure avec inconscience. En provoquant cet excité, Cyril ne faisait qu'aggraver la situation. Le musicien se rua sur le concierge pour lui reprendre son instrument. Il fut brutalement projeté en arrière et alla mordre le pavé.

– Ah, c'est comme ça ? gronda le concierge hors de lui. Regarde ce que j'en fais, moi, de ton crincrin !

Tenant le luth à bout de bras, il voulut le briser contre un mur. Il n'en eut pas le temps. Fred lança un bâton entre ses jambes. Le gros bonhomme se prit les pieds dedans et tomba lourdement. Vif comme un chat, Hassein attrapa le précieux instrument au vol.

Profitant de ce que le gardien était groggy à terre, ils s'esquivèrent.

– Qui êtes-vous ? Mes anges gardiens ? demanda le musicien des rues aux garçons accourus à son secours.

– Simplement trois jeunes chevaliers qui passaient par là, répondit Hassein.

– Tiens ! Comme dans ma chanson... s'étonna le baladin.

– Et toi, qui es-tu ?

– On m'appelle le Ménestrel, dit l'homme. Merci d'avoir sauvé mon luth. Pour moi, c'est un trésor inestimable, et...

– Le trésor ! s'écria Cyril. On l'a laissé sans surveillance !

En voyant ses jeunes bienfaiteurs courir en direction du porche, le musicien se demanda quelle mouche les piquait.

– Non ! hurla Hassein, et son cri résonna dans la cour de l'immeuble.

Ses amis contemplaient, hébétés, la carriole vide. Ils cherchèrent la malle des yeux. Ils n'arrivaient pas à y croire. Il avait suffi de tourner le dos quelques secondes... et pfuit ! Plus de trésor. Envolé !

2

Que la quête commence

Ils restèrent pétrifiés, le sang glacé, la vue brouillée. Allaient-ils se réveiller de ce mauvais rêve ?

Cyril fut le premier à se secouer.

– Qu'est-ce qu'on attend pour rattraper les voleurs ?

Ils sillonnèrent les environs à vélo, en vain. Les malfrats s'étaient volatilisés. Ils se retrouvèrent au coin de la rue avec le Ménestrel.

Très remonté contre Fred, Hassein laissa

éclater sa colère :

– C'est ta faute ! C'est toi qui devais garder la malle ! Le trésor, c'est plus important que tout ! Je t'avais confié une mission très importante ! Tu es nul !

Ça commençait à chauffer. Le Ménestrel, qui ne savait pas pourquoi ces chevaliers en herbe se disputaient, intervint.

– Du calme, nobles chevaliers ! Dites-moi quel est le sujet de votre querelle.

– On nous a volé notre malle au trésor, fit Hassein accablé.

– Qu'y a-t-il donc de si précieux dans cette malle ?

– Notre Livre, lui expliqua Cyril. Le Livre ancien des Chevaliers, où tout est écrit. Sans lui, on est perdus.

Le Ménestrel était vraiment désolé. Il aurait tant voulu les aider, eux qui l'avaient tiré d'un mauvais pas.

– Bon, écoutez ! leur dit-il. On va la retrouver, cette malle. Elle ne doit pas être bien loin, sacrebleu !

Il marcha d'un pas décidé, suivi par les

Chevaliers du Lys en vélo, et interrogea les passants, qui se demandaient d'où sortait cet hurluberlu affublé de collants jaunes et rouges et de manches bouffantes.

Comme ils longeaient une palissade, Hassein alerta soudain ses camarades.

– Regardez ! dit-il en leur montrant un lambeau de tissu rouge accroché sur l'arête d'une planche cassée. C'est un bout de notre étendard. Nos voleurs sont passés par là !

Sur sa lancée, le « cerveau » du trio constata qu'une sorte de trappe basculante avait été habilement encastrée dans les planches de la palissade. Il réussit à la faire basculer, et il entraîna ses copains dans un terrain vague occupé par de vieux hangars en démolition.

– Je vous attends ici, leur dit le Ménestrel.

Hassein, Cyril et Fred revinrent bredouilles au bout d'un quart d'heure.

Mais le Ménestrel, lui, n'était plus là.

– Bon sang, mais qu'est-ce qu'on est bêtes ! s'exclama soudain Cyril en se frappant le front. On s'est drôlement fait avoir, les gars ! Ce musicien était le complice des voleurs, comme le faux gardien d'immeuble ! Leur dispute, c'était du bidon !

– Il faut retrouver ce guignol ! rugit Fred furieux.

– Ça, ça ne sera pas difficile... fit Hassein.

Il désigna à ses copains la grue qui s'élançait vers le ciel, au-dessus du chantier qui s'étendait de l'autre côté de la rue. L'homme qui descendait l'échelle de la tour d'acier avait tout d'un perroquet en cage, avec son costume multicolore. Ils reconnurent le Ménestrel.

– Qu'est-ce qu'il fait là-haut ? s'étonna Fred.

– Il se prend pour Tarzan ! fit Hassein. En tout cas, s'il avait été complice des voleurs, il n'aurait pas moisi dans le coin.

Une fois en bas, les garçons lui demandèrent ce qu'il avait été faire là-haut. Il leur expliqua qu'il était monté pour interroger le grutier, qui, de sa cabine, pouvait voir tout ce qui se passait en bas.

– J'ai demandé au guetteur de la tour s'il n'avait pas vu

des quidams porteurs d'une malle pénétrer dans le terrain d'en face, dit-il. Il les a aperçus, en effet, et il m'a dit qu'ils avaient des cheveux de toutes les couleurs dressés sur la tête et des habits déchirés.

– Les cheveux colorés ? C'est la bande de Ratman ! déclara Hassein.

– Les Ratboys ! Aïe aïe aïe ! dit Cyril, la mine soudain sombre. Ces gars-là sont de vrais durs. En plus, ils ont de très bonnes planques. On peut faire une croix sur notre trésor.

Dans la petite troupe, ce fut l'abattement. Le mal gagnait et leur belle aventure prenait fin.

– Allons, secouez-vous, chevaliers ! clama le Ménestrel en pinçant les cordes de son luth. Cette fois, vous avez une mission sacrée à remplir : retrouver le Livre secret, pour que l'esprit de la chevalerie continue de vivre. C'est votre Quête !

Ses paroles leur redonnèrent courage. Hassein fut le premier à se lever pour haranguer ses compagnons.

– Le Ménestrel a raison : tous les chevaliers ont une quête. Maintenant, nous avons la nôtre : retrouver le Livre. Accomplissons-la !

Ils demandèrent au Ménestrel de les aider à récupérer leur trésor. Comme il avait une dette envers eux, il ne put refuser et les accompagna dans leur nouveau château.

3

Fred se rebiffe

En guise de château, c'était un baraquement branlant au fond d'un jardinet. Enfin, c'était toujours mieux que les caves sombres et humides de l'Éden Cinéma* . Si l'extérieur ne payait pas de mine, l'intérieur n'était pas reluisant non plus. Le mobilier se résumait à une table, des caisses et un divan qui pétait ses ressorts.

– C'est à nous de retaper cette ruine ? fit

* Voir le Fantôme de l'Éden.

Fred avec une moue dégoûtée. Tu parles d'une bonne affaire !

Sa réaction mit Hassein hors de lui.

– Je rêve ! Monsieur fait le difficile ! Quand on n'est même pas capable de garder une malle, on ne la ramène pas !

– Mais lâchez-moi, avec cette malle ! s'insurgea Fred. Je vous ai quand même évité une belle dérouillée, il me semble !

– C'est toi qui devais garder le trésor, lança Cyril à Fred. C'était un devoir sacré. À présent, comment pourra-t-on te faire confiance pour les missions difficiles ?

Blême de colère, Fred se dressa devant ses accusateurs.

– Ça suffit comme ça ! Vous me jugez indigne de garder mon rang de chevalier ? D'accord ! Je vous rends mes armes !

Joignant le geste à la parole, il vida sur la table le sac contenant sa tenue de chevalier.

Et Fred quitta aussitôt le château en claquant la porte.

De la cour, il leur déclara :

– Vous allez voir de quoi je suis capable !

Je vais aller les trouver, moi, ces Ratboys !

– T'es bien trop dégonflé pour ça ! lança Cyril de la fenêtre.

– Tais-toi ! lui dit Hassein en refermant la fenêtre. On a été assez durs comme ça avec lui. Et s'il faisait ce qu'il dit ?

– Fred, défier les Ratboys ? Tu parles ! ricana Cyril. Rien qu'à les voir, il tomberait dans les pommes !

– Je l'en crois fort capable, au contraire, laissa tomber le Ménestrel du fond de son divan. Vous n'avez pas été tendres avec lui, et il va vouloir prouver qu'il est plus digne que vous d'être chevalier... À mon avis, il serait même prêt à passer à l'ennemi, si on le poussait un peu.

Cyril et Hassein se regardèrent.

– Tu crois vraiment que Fred pourrait entrer dans la bande des Ratboys ? lui demanda Hassein.

– Bien sûr ! répondit le Ménestrel en bâillant. Vous voulez parier qu'il essaiera ? Suivez-le, vous verrez ! Mais en attendant vous devriez rentrer chez vous, car il se fait tard.

Hassein proposa au Ménestrel de rester au château pour la nuit.

– Comme ça, je vais pouvoir finir ma nouvelle chanson, répondit le Ménestrel, ravi. Elle raconte l'histoire de trois jeunes chevaliers en quête d'un trésor. Le problème, c'est que je ne sais pas encore comment elle finit....

4

Un combat aérien

Ce matin-là, Fred quitta la boulangerie familiale avec son sac à dos rempli de pâtisseries. Une rude journée l'attendait. Il savait où les Ratboys avaient établi leur quartier général, et il avait bien l'intention de leur reprendre la malle. Comment ? Ça, il l'ignorait.

Il partit à pied, sans se douter qu'il était suivi par trois ombres furtives.

Fred dépassa le terrain vague qu'ils avaient inspecté la veille et arriva en vue d'une casse d'autos. Il n'avait jamais rencontré un Ratboy de sa vie, mais dès qu'il les aperçut, il sut que c'était eux.

Ils étaient agglutinés sur la carcasse d'une voiture.

Fred se glissa derrière une benne de camion et pénétra dans la casse. Tapi à l'arrière d'une estafette, il écouta les dialogues des Ratboys tout en avalant des beignets. Il espérait bien apprendre où ils avaient planqué la malle.

C'est là qu'ils le prirent le nez dans le sac.

Un gars hirsute, très hargneux, le tira hors de l'Estafette. Aussitôt, une meute de mal coiffés se pressa autour de lui. Ils le conduisirent dans la « clairière », un espace qui formait un cercle au milieu de toutes ces bagnoles ruinées.

La portière d'une vieille traction s'ouvrit en grinçant. Un type jeune, plutôt petit, vêtu d'un long manteau et chaussé de cuissardes, en descendit. C'était Ratman. Il avait sur l'épaule un rat blanc. Les Ratboys s'écartèrent devant lui.

– Qu'es-tu venu chercher ici ? demanda Ratman à Fred. Pour le compte de qui nous espionnes-tu ?

– Je ne vous espionne pas, lui répondit Fred avec aplomb. Je voudrais simplement entrer dans votre bande.

Les rires des Ratboys firent écho au rire de Ratman.

– Simplement ! Voyez-vous ça ! clama le chef. Il doit nous prendre pour une colonie de vacances !

Vexé, Fred se planta devant le chef et soutint son regard.

– Ne vous fiez pas à mon âge ni à ma taille ! S'il y a des épreuves à passer, je les passerai.

– Nous avons affaire à un dur, ironisa Ratman. D'accord, Fred. On va voir de quoi tu es capable.

Toute la joyeuse bande se dirigea vers une passerelle mobile enjambant une fosse à ferrailles. Fred monta dessus à la suite de Ratman. Il évita de regarder en bas, car il avait le vertige. Deux Ratboys munis de divers instruments se plantèrent devant lui.

– Choisis ton arme, dit Ratman à Fred. La chaîne, le bâton ou le nunchaku*. Si tu arrives à lutter à armes égales avec l'un de mes champions, tu seras des nôtres. Tu peux encore renoncer, petit...

Ses amis, cachés dans un camion, l'observaient.

– Oh non, c'est pas vrai ! Pourquoi il a accepté ? gémit Cyril.

– Du calme, coco ! lui siffla Hassein à l'oreille. On ne peut rien pour lui. Mais si tu nous fais repérer, alors on va dérouiller tous les quatre, et adieu le trésor !

———

* Fléau d'armes d'origine japonaise.

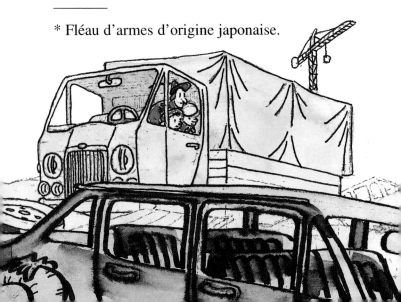

– Ne vous en faites pas, chevaliers ! leur dit le Ménestrel en ouvrant la vitre du camion.

En disant cela, il sortit un petit miroir de sa poche.

Les deux « champions » de Ratman s'avancèrent. L'un prit le bâton, l'autre la chaîne. Où était le troisième ?

Fred prit le nunchaku et le considéra, pensif. Il se dit qu'il avait quand même de la chance dans son malheur. Son oncle Jackie, qui se prend pour Bruce Lee, lui avait enseigné le maniement du nunchaku. Il s'en était acheté un pour pouvoir s'entraîner tout le temps.

– Mais tu vas te casser le crâne, avec ça, mon gars ! ricana Ratman.

Pour toute réponse, Fred se mit en garde, une poignée de l'engin coincée sous le bras. Il le fit tournoyer en sifflant dans l'air et le passa d'une épaule à l'autre avec une telle rapidité que l'assistance en resta muette.

– Envoie ton champion, Ratman, je suis prêt !

Le champion du nunchaku n'était autre

que Ratman lui-même. Sa démonstration de virtuosité fut saluée par les applaudissements de ses hommes.

Fred se rappela alors les conseils d'oncle Jackie : « Ne cherche pas à frimer, sois efficace. Ce n'est pas parce que tu sais jongler avec ton nunchak' que tu sais t'en servir. Ton attaque doit toujours surprendre l'autre. »

À la première passe d'armes, Fred prit un rude coup sur l'épaule. Ça commençait mal ! Ratman continua d'avancer sur lui en faisant des moulinets avec son arme, pour épater son public. Mais soudain il se mit à cligner des yeux, comme si quelque chose le gênait. Fred en profita aussitôt. Il frappa là où l'autre ne l'attendait pas et lui arracha son nunchaku des mains. Ratman se rua pour ramasser son arme tombée à terre, mais Fred d'un coup de pied l'expédia dans la fosse. Un « Oh ! » de consternation monta de l'assistance. Le chef désarmé par un gamin !

Très mauvais perdant, Ratman envoya un coup de pied dans la rambarde de la passerelle et tempêta :

– Si je n'avais pas été ébloui, c'est moi qui t'aurais désarmé !

– J'ai gagné loyalement ! protesta Fred. J'ai mérité être un Ratboy, non ?

À sa grande surprise, les crêtes hérissées l'approuvèrent. Et Ratman fut bien obligé de s'incliner.

– Soit ! Tu as gagné. Mais tu as encore une épreuve à passer. Viens, je vais te montrer.

Il devait monter en haut de cette fichue grue pour gagner la confiance du chef. « Je n'y arriverai jamais ! Surtout ne pas regarder en bas ! » se dit Fred.

Mais il y fut bien obligé, lorsqu'il se

retrouva dans la cabine du grutier. Là, il dut s'accrocher pour ne pas tomber !

– Tu vois ce trou, là, tout en bas ? On l'appelle la Fosse aux Anges. C'est là qu'on cache notre butin.

Fred ouvrit les yeux pour voir, dans le chantier abandonné, une grande fosse dans laquelle se dressait une cabane à outils.

– Notre trésor est gardé jour et nuit, lui confia Ratman. Et pour descendre dans la fosse, il n'y a qu'une corde.

Fred se dit que ce serait rudement compliqué de sortir leur malle de ce trou. Mais ce n'était plus son affaire ! Encore que...

En réalité, il ne savait plus très bien de quel côté il était.

– Bon, ben je dois rentrer chez moi, maintenant, fit-il, sentant que le vertige le reprenait.

5

Le visiteur du soir

Le bruit sec d'un petit caillou sur le carreau tira Fred de ses sombres pensées. Vite, il ouvrit la fenêtre de sa chambre. Personne dans la rue.

Une voix toute proche le fit sursauter.

– Fred ! C'est moi, le Ménestrel ! Il faut que je te parle !

Il était accroché à la gouttière. Fred le fit entrer dans sa chambre. Dans la semi-obscurité, le Ménestrel heurta une lampe qui tomba avec fracas.

– Fred ! Tout va bien ? dit une voix provenant d'en bas.

– Ça va, maman ! Pas de problème ! lança Fred.

À voix basse, le Ménestrel lui confia que Cyril et Hassein n'avaient pas osé venir.

– Tu sais, ils s'en veulent beaucoup de t'avoir traité comme un écuyer. Ils aimeraient bien que tu reviennes.

– L'offense est trop grave, répondit Fred. Dis-leur que j'ai battu Ratman au nunchaku et que je vais rentrer dans sa bande.

– Ta place n'est pas avec ces coupe-jarrets, le prévint le baladin. Tu as une âme de chevalier, pas de fripouille.

– Trop tard, répondit Fred. Demain soir, c'est la cérémonie de mon admission. Les Ratboys me traitent bien, eux. Alors...

– Comme tu voudras, soupira le Ménestrel. Au moins, j'aurai essayé. Et dire que c'est grâce à moi que tu en es là...

– Qu'est-ce que tu veux dire ? lui demanda Fred.

– Le coup du soleil dans le miroir, tu

connais ? C'est comme ça que j'ai aveuglé Ratman pendant votre combat.

– Même si tu ne m'avais pas aidé, bougonna Fred un peu vexé, de toute façon j'allais le battre.

– Je n'en doute pas, fit le Ménestrel avec une pointe d'ironie.

Fred hésita un instant, puis il lui confia :

– Tu sais, Ratman m'a révélé où ils cachent leur butin. Le problème, c'est qu'il est bien gardé. Et qu'il est dans un trou.

Il traça sur un bout de papier le plan du chantier abandonné, avec l'emplacement de la Fosse aux Anges et de la cabane.

– Dans ce cas, on va agir pendant la cérémonie, décida le Ménestrel. On aura besoin de ton aide, car toi tu seras dans la place et tu pourras neutraliser le garde. On te fera un signe.

Il sortit un petit flacon de sa poche et le posa sur la table de nuit de Fred.

– Si tu réussis à faire boire trois gouttes de ce philtre au garde, il s'endormira. Essaie quand même...

À cet instant, des pas résonnèrent dans l'escalier menant à la chambre. Vite, le Ménestrel enjamba la fenêtre et disparut dans la nuit. Fred prit un livre. La porte de sa chambre s'ouvrit.

– À qui parlais-tu, Fred ? lui demanda sa mère.

– Je lisais tout haut, m'man. Au fait, j'ai oublié de te dire... Demain soir, je voudrais aller à la boum d'Hassein.

6

La cérémonie

En fait de boum, le lendemain soir, ce fut plutôt sa fête. D'abord, ils le couvrirent d'une immonde peau de bête, puis ils le laissèrent moisir sous une tente obscure.

Fred attendait en tremblant. Dehors, on préparait la cérémonie.

Il fut presque soulagé lorsqu'on vint le chercher. Deux Ratboys hirsutes lui bandèrent les yeux et l'emmenèrent.

Ils avaient allumé des flambeaux et formé un cercle sur la terrasse de l'ancien

entrepôt. Soutenu par ses guides, Fred avança au son des roulements de tambours.

Des rugissements de guitares sauvages saluèrent l'arrivée de Ratman en tenue d'apparat. Le chef fit un signe et le vacarme s'arrêta net. Il s'assit dans la benne d'une pelleteuse qui lui servait de trône.

Fred fut conduit dans le cercle. On lui fit tendre les mains pour y déposer quelque chose. C'était gros et velu… Un rat ! Il manqua tourner de l'œil.

– Ne le lâche pas ! lui ordonna Ratman. C'est ton animal-totem. Désormais, il te protégera.

Fred eut du mal à surmonter son dégoût. On lui enleva le rat et on le fit s'agenouiller.

– À partir d'aujourd'hui, déclara Ratman, comme le rat, tu appartiens au groupe.

Une fois son bandeau retiré, Fred dut prononcer le serment de fidélité et d'obéissance au chef.

Toute la bande acclama son nouveau membre.

La fête commença par des combats au

bâton. Tout le monde braillait, dansait, buvait. Tous sauf Fred, qui en profita pour s'esquiver. Il glissa une bouteille de punch sous sa peau de bête et sortit discrètement de l'entrepôt. Ces brutes le dégoûtaient.

Dès qu'il fut dehors, il versa le philtre du Ménestrel dans la bouteille de punch. Puis, s'assurant qu'il n'était pas suivi, il s'enfonça dans la nuit.

– Halte ! Qui va là ?

Clignant des yeux sous la lumière crue de la lampe qui l'aveuglait, Fred tendit la bouteille de punch vers la sentinelle qui gardait la fosse.

– C'est moi, Fred, le nouveau ! fit-il d'une voix pâteuse, en oscillant sur place. Tu veux bien trinquer avec moi ?

Il mimait l'ivresse avec talent.

Le Ratboy n'hésita pas. Il but une bonne gorgée de punch au goulot, puis lança la bouteille dans la fosse à son copain qui gardait la cabane au butin. L'autre but à son tour.

Le Ratboy qui faisait les rondes tomba d'un coup, comme un fruit mûr. Aussitôt le garde de la cabane, réalisant qu'ils étaient drogués, sortit son sifflet pour donner l'alerte. Mais il avait à peine commencé à souffler dedans qu'il s'écroula. Foudroyant, le philtre du Ménestrel ! Il faut dire que Fred avait mis la dose. Au lieu des trois gouttes conseillées, il avait vidé le flacon dans la bouteille...

Une fois les gardes neutralisés, deux petites silhouettes apparurent, munies de sacs et d'une grande corde.

Avec Hassein, Cyril attacha la corde à un poteau et la jeta dans la fosse. Fred fit le guet tandis qu'ils amorçaient la descente. Arrivés en bas, ils pénétrèrent à l'intérieur de la cabane à outils. Ils y découvrirent un fatras d'objets volés : le trésor de guerre des Ratboys. Et au beau milieu de ce capharnaüm, trônait leur malle.

Le cadenas avait été forcé. Ils ouvrirent le coffre et vérifièrent que le Livre était là. Cela suffisait à leur bonheur. Hassein s'en saisit et le glissa dans sa musette. C'était plus sûr. Après, ils ouvrirent leur grand sac, qui était plus facile à transporter que la malle, et y fourrèrent toutes les pièces du trésor. Puis ils l'attachèrent au bout de la corde avec laquelle ils remontèrent.

Mais à peine mirent-ils les pieds hors de la fosse que des cris de chouette leur fit tendre l'oreille.

– C'est le Ménestrel qui nous alerte ! dit Hassein. Les Ratboys rappliquent ! Tant pis pour le trésor, on a le Livre ! Filons !

– T'es fou ! protesta Cyril en hissant le sac à toute vitesse. On ne va quand même pas l'abandonner !

Alors que ses copains détalaient en direction de la palissade, Cyril chargea le sac sur son dos et courut aussi vite qu'il put. Ce barda était tellement lourd qu'il crut faire du surplace. Et il entendait déjà les voix des Ratboys derrière lui...

La rage au cœur, il laissa le sac. Le trésor se répandit par terre. Du coup, les premiers poursuivants qui le talonnaient roulèrent sur les timbales, les casques qu'ils ne virent pas dans l'obscurité. Quelles gamelles ils se prirent ! Poussant une superbe accélération, Cyril franchit la palissade, basculant de l'autre côté, où ses copains l'attendaient sur leurs vélos.

Arrivés en bas, ils partirent chacun dans une direction différente et empruntèrent des petites rues pour mieux semer leurs éventuels poursuivants. Mais seule la lune roulait derrière eux, comme une grosse pierre blanche.

En entrant dans leur château, ils découvrirent un papier glissé sous la porte. C'était un morceau de parchemin jauni, sur lequel on avait écrit à la plume, d'une belle écriture penchée :

« Désolé de partir, mes amis, mais je dois reprendre la route dès ce soir. J'ai un madrigal d'amour à livrer à une Dame de la part d'un noble Chevalier. Maintenant nous sommes quittes. Mais rappelez-vous que votre quête n'est pas finie. Ni votre chanson, d'ailleurs. Peut-être qu'un jour je reviendrai vous la chanter. »

Ils regrettèrent beaucoup le départ du Ménestrel. Mais la joie d'être à nouveau tous les trois réunis autour de leur Livre des Chevaliers les consola. Pour éviter une nouvelle mésaventure, ils rangèrent le Livre dans une boîte à chaussures, et la cachèrent sous les lattes du plancher.

– Bon, soupira Cyril une fois que ce fut fait, maintenant il va bien falloir rentrer chez nous.

– Ouais ! grommela Hassein. Je me demande si je ne préfère pas affronter les Rat-boys...

– Je ne vous dis pas les beignets que je vais prendre ! frissonna Fred.

– Normal pour un fils de boulanger, s'exclama Cyril.

Ils rirent un bon coup ensemble, et ça leur fit du bien.

Table des matières

Dans la série Maximôme